Robots of the future.
Roboty budushchego

Роботы будущего

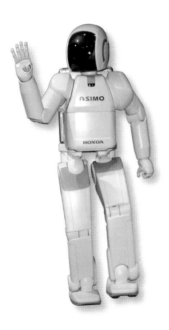

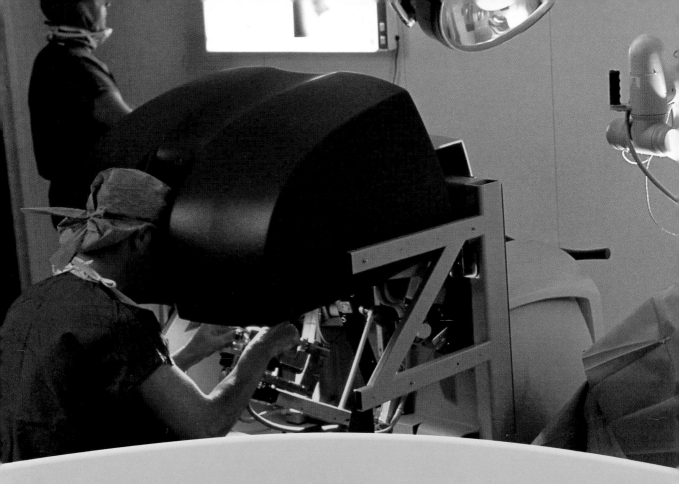

УДК 087.5
ББК 38.816
    Р58

Печатается по изданию:
Robots of the Future

ISBN 978-5-389-06348-8

Знак информационной продукции
(Федеральный закон №436-ФЗ
от 29.12.2010 г.)   **6+**

Перевод с английского Петр Шадрин

Редактор Ольга Красновская
Технический редактор Татьяна Андреева
Корректоры Татьяна Филиппова, Наталья Соколова
Верстка Никита Козель

Справочное издание

Массовое издание

ООО «Издательская Группа «Азбука-Аттикус» —
обладатель товарного знака Machaon
119334, Москва, 5-й Донской проезд, д. 15, стр. 4
Тел. (495) 933-76-00, факс (495) 933-76-19
E-mail: sales@atticus-group.ru; info@azbooka-m.ru
www.azbooka.ru; www.atticus-group.ru

Подписано в печать 20.12.2013. Формат 84×100 ¹/₁₆.
Бумага мелованная. Печать офсетная. Усл. печ. л. 3,12.
Тираж 8000 экз. S-DED-14325-01-R. Заказ 6517/13

32 с., с ил.

Отпечатано в соответствии с предоставленными материалами
в ООО «ИПК Парето-Принт». 170546, Тверская область,
Промышленная зона Боровлево-1, комплекс №3А
www.pareto-print.ru

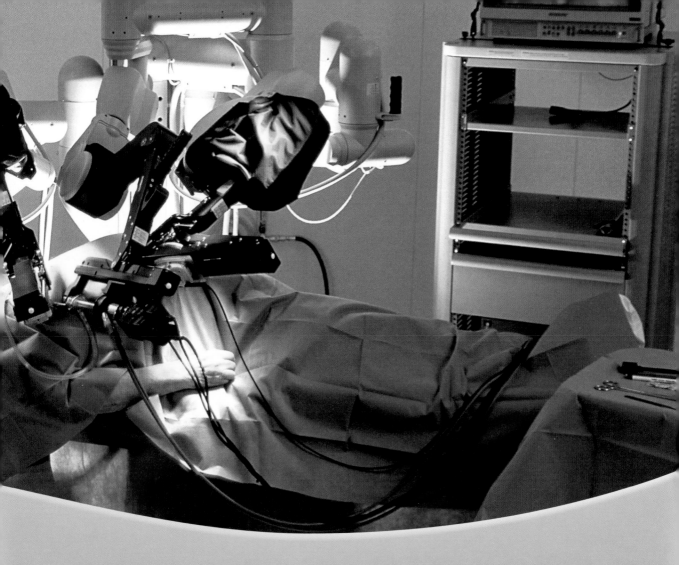

Роботы будущего

Москва
«МАХАОН»
2014

Содержание

Разновидности роботов

Конструкция роботов, их облик и предназначение могут быть самыми разными. Одни роботы созданы, чтобы упростить человеку работу или сделать ее безопаснее. Другие – ради развлечения. Человек постоянно контролирует роботов и определяет, чем и как они будут заниматься. Некоторые роботы двигаются, следуя командам специальных компьютерных программ, другие – благодаря дистанционному управлению.

Робот-гуманоид

Гуманоид – это робот, внешне напоминающий человека. Менее совершенные роботы могут повторять лишь несколько движений. Другие оснащены органами чувств, такими как зрение и слух.

Робот-манипулятор

Робот-манипулятор – это робот с несколькими подвижными соединениями, которые повторяют строение руки человека. Он выполняет работу быстрее, с большей надежностью и точностью, чем любой человек. Робот-манипулятор работает на многих предприятиях.

Робот на колесах

Роботы выполняют очень опасные и сложные для человека задания. Робот-минер находит бомбы и мины в земле, освобождая человека от работы, связанной с риском для жизни.

Роботы-ортезы

Такие роботы помогают людям с травмами позвоночника заново учиться ходить. Человек прикрепляется к роботу и вместе с ним, подчиняясь механизму, идет по беговой дорожке.

Роботы на рельсах

Роботы, передвигающиеся по рельсам, необходимы при производстве товаров большого размера. Они с легкостью перемещают тяжелые, громоздкие предметы. Этот робот переносит крупные куски стекла.

Роботы на гусеничном ходу

Роботы с гусеничным механизмом передвигаются едва ли не по любой поверхности. Этот робот оснащен зажимом, который может поднимать предметы с взрывчатым веществом и перемещать их в безопасное место.

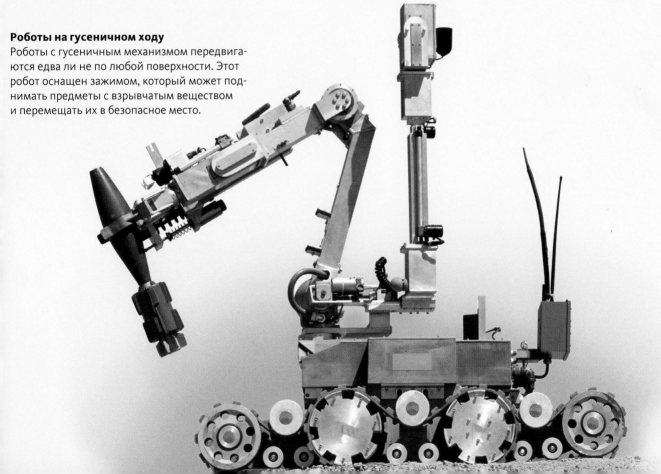

Части роботов

Корпус большинства роботов состоит из отдельных подвижных частей. Многие из них копируют движения человека. Например, подвижные соединения робота-манипулятора действуют так же, как человеческое запястье или локоть. Некоторые роботы-гуманоиды передвигаются на ногах и поднимают предметы руками.

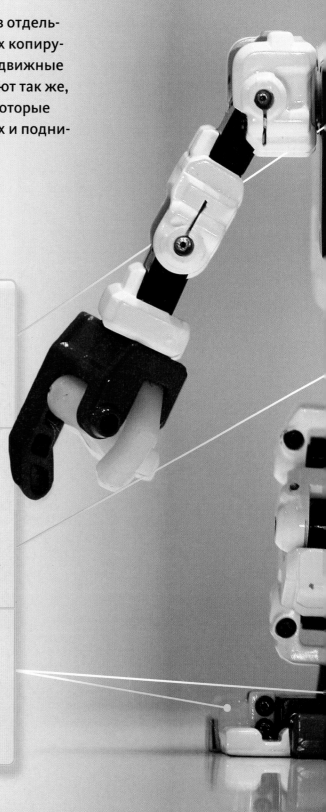

Сенсоры света

Световые сенсоры распознают обычный или инфракрасный свет, исходящий от объектов, которые находятся рядом с роботом. Эта функция помогает роботу либо обходить различные предметы, которые его окружают, либо идти к ним навстречу.

Сенсоры звука

Эти сенсоры определяют звуковые волны, которые исходят от различных объектов. Звуковые сенсоры передают роботу информацию о том, что его окружает, в частности на каком расстоянии от него находится конкретный объект. В корпус робота может быть встроено устройство распознавания голоса, с помощью которого человек отдает машине устные приказы.

Датчики давления

Некоторые роботы оборудованы датчиками давления, которые имитируют осязание. У этих сенсоров, как правило, два назначения. Они сообщают роботу о том, что он ударился о какой-нибудь предмет и должен сменить направление движения, а также позволяют правильно захватить и поднять объект.

Внутренний источник питания

Роботам необходим внутренний источник энергии. Одни роботы работают от батарей. Другие оснащены фотоэлементами, которые преобразуют солнечный свет в энергию. Механические роботы заводятся с помощью пружинного механизма.

Внутренний контроллер

Каждый робот оснащен контроллером – компьютерной операционной системой. Контроллер – эквивалент человеческого мозга. Он содержит всю необходимую информацию для выполнения задач и указаний.

ДИСТАНЦИОННОЕ УПРАВЛЕНИЕ

Роботы, которые работают на других планетах, такие как марсоход «Соджорнер», оборудованы внутренними контроллерами, но ими также можно управлять с Земли. В них встроены камеры, которые делают снимки и отправляют их на Землю. По снимкам оператор определяет, в каком направлении робот должен двигаться и какую задачу ему нужно выполнить.

Роботы в промышленности

Роботы применяются в промышленности уже около 50 лет. Они способны выполнять работу быстрее и с большей точностью, чем люди, с легкостью поднимать тяжелые для человека предметы. Роботам не становится скучно от того, что они раз за разом выполняют одно и то же действие. Еще одно преимущество роботов заключается в том, что они работают с гораздо меньшим количеством перерывов. Хотя роботов приходится чинить и следить за их состоянием, им не нужно спать, отлучаться в туалет или отпрашиваться с работы, чтобы посидеть с маленькими детьми.

Производство автомобилей

На автоматизированном заводе в Германии в сборочном цехе работает более 450 роботов. Одни устройства соединяют крупные части корпуса машины, другие ставят на места мелкие детали. Роботы приваривают лазером стекла к автомобилю и заливают в бак необходимый объем топлива подходящего класса.

Робот с шестью осями

Ось – это деталь механизма, вокруг которой происходит движение. У многих промышленных роботов шесть таких осей. Каждая из них позволяет роботу двигаться определенным образом.

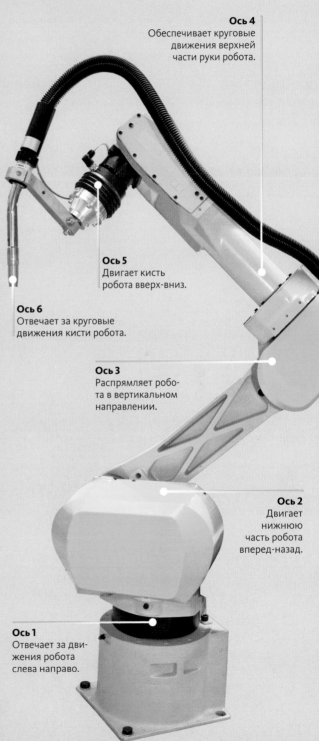

Ось 4
Обеспечивает круговые движения верхней части руки робота.

Ось 5
Двигает кисть робота вверх-вниз.

Ось 6
Отвечает за круговые движения кисти робота.

Ось 3
Распрямляет робота в вертикальном направлении.

Ось 2
Двигает нижнюю часть робота вперед-назад.

Ось 1
Отвечает за движения робота слева направо.

Роботы в медицине

Oдин из лучших примеров роботов, которые помогают людям, – это роботы, применяемые в медицине. В хирургии роботы обычно выполняют вспомогательную работу. Роботизированными инструментами врачи проводят трудоемкие и тяжелые операции быстрее и эффективнее, чем традиционными. Но в некоторых видах хирургии, например при операциях на сердце, роботы могут сыграть ключевую роль.

Процесс операции

Операцию на сердце выполняет робот-хирург «Да Винчи». Врач собственноручно управляет его действиями. Другие модели роботов-хирургов получают от докторов голосовые команды. В будущем операции с участием роботов станут обычной практикой.

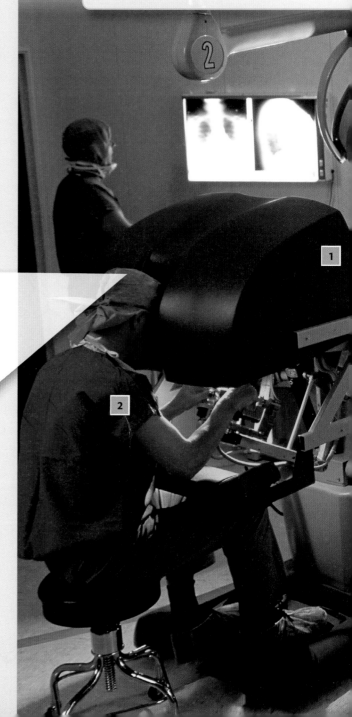

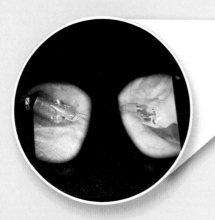

Глазами хирурга
Камеры, прикрепленные к роботу, позволяют хирургу видеть все детали операции.

Теперь хирурги могут проводить операции удаленно – находясь на расстоянии от пациента.

1 Крупный план
Экран, куда смотрит хирург, находится в нескольких шагах от операционного стола. Камеры, прикрепленные к рукам робота, показывают врачу мельчайшие детали процедуры в трехмерном формате и высоком разрешении.

2 Применение джойстиков
Несмотря на то что хирург не стоит возле операционного стола, он полностью контролирует происходящее. Врач управляет роботом с помощью джойстиков, похожих на те, что используются в видеоиграх для приставок.

3 Многофункциональность
Робот-манипулятор разрезает ткани, накладывает швы, перемещает органы и отправляет изображения хирургу и всему медицинскому персоналу, задействованному в операции.

4 Трансляция операции
Операция отображается на экране монитора в режиме реального времени, и команда врачей и медицинских сестер, которая ассистирует хирургу, тоже может наблюдать за происходящим.

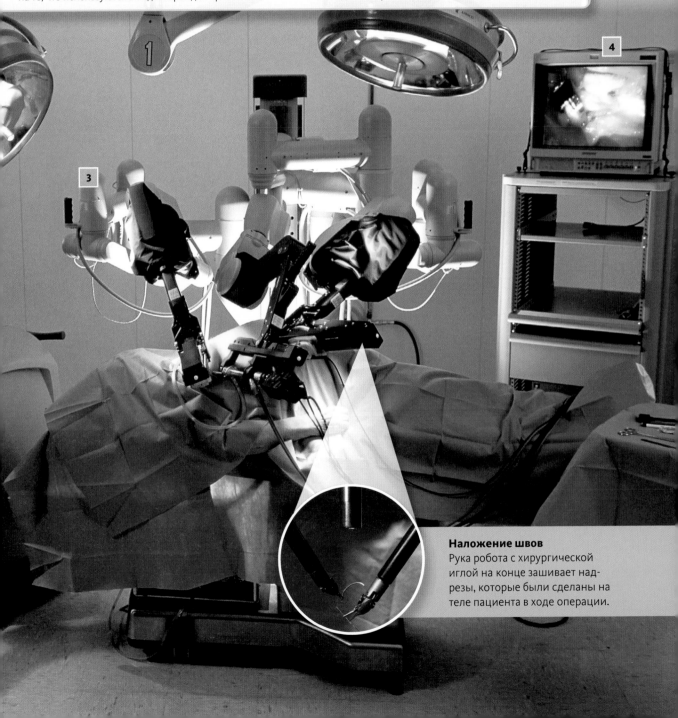

Наложение швов
Рука робота с хирургической иглой на конце зашивает надрезы, которые были сделаны на теле пациента в ходе операции.

Роботы в космосе

Роботы всегда казались частью научной фантастики, поэтому тот факт, что они применяются в космосе, не удивляет. Роботы подходят для этого идеально, потому что они могут долго работать там, где человек смог бы продержаться всего несколько минут. Роботов отправляют в космос с 1960-х гг. Одни пролетают рядом с другими планетами, делают снимки и отсылают их вместе с дополнительными данными на Землю. Другие приземляются на планеты, проводят обширное обследование, собирают образцы материи и отправляют их для дальнейшего изучения.

Спектрометр
Проводит детальное обследование проб камней и минералов.

Марсоходы

Космическое агентство США НАСА отправило двух таких роботов на Марс в 2003 г. Они приземлились на поверхность Красной планеты в 2004 г. и с тех пор занимаются ее исследованием. Роботы должны выяснить, существовала ли когда-нибудь на Марсе вода. Для этого они оснащены специальными приспособлениями.

Камера
Фотографирует поверхность планеты.

Магнит
Притягивает частицы намагниченной и железосодержащей пыли, которые затем анализирует спектрометр.

Торцевой бур
Проделывает небольшие отверстия в твердых объектах, в том числе в минералах.

«КЕНТАВР»

НАСА разработало робота-астронавта, известного как «Кентавр». Он совмещает в себе гуманоида и робота на колесах. «Кентавр» проходил тесты в пустыне Аризоны, чтобы в будущем его можно было использовать в космосе. Другой робот НАСА, «Скаут», выполняет функции транспортного средства для космонавтов и оборудования. Он следует голосовым командам и жестам, оборудован дистанционной системой управления, а также ретранслирует сигналы и изображение.

Удивительно!

НАСА разработало робонавта – робота, который должен заменять астронавта. Робонавт может находиться в открытом космосе дольше любого человека и выполнять очень опасные задания.

Робот «Лего»

Игрушки «Лего» (LEGO) выпускают с 1932 г. Со временем компания начала создавать роботизированные модели. На первый взгляд это просто игрушки, однако сенсоры, контроллеры, внутренние источники энергии превращают их в гораздо более сложные устройства, чем может показаться. Этот робот, выполняя команды, может играть с другим роботом «Лего» в волейбол.

Кубок мира среди роботов

Такие соревнования проводят ежегодно. В них участвуют команды роботов, специально сконструированных для игры в футбол. Главная цель Кубка мира – ускорить научные исследования в области создания искусственного разума.

Роботы-игрушки

В последнее время растет популярность роботов-игрушек, особенно в Японии. Роботизированные игрушки оснащают дистанционной системой управления, в некоторые встраивают устройства, реагирующие на голосовые команды или на звук, например на хлопок в ладоши. Нередко при конструировании игрушек создавались разработки и технологии, расширяющие возможности робототехники в целом.

Робот-собака
Робот-собака был создан для того, чтобы повторять повадки живой собаки. Он лает, ходит, встает на задние лапы, выпрашивая что-нибудь, и реагирует на голосовые команды, как настоящее домашнее животное. Кроме того, робот-собака может задирать ногу, как это делают псы.

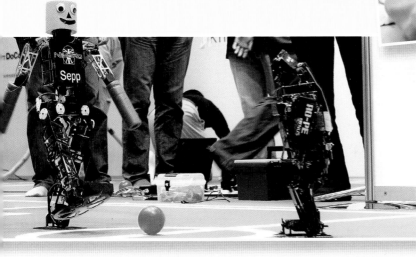

Роботы-младенцы
RealCare Baby II – это робот, который работает от аккумулятора и копирует поведение совсем маленького ребенка. Его нужно кормить, укачивать, вовремя менять ему пеленки. Он реагирует только на действия одного воспитателя, который должен носить устройство беспроводной идентификации, пока ухаживает за роботом-младенцем.

В опасных зонах

Р обот – идеальный помощник в случае, когда нужно добраться до места, которое либо недоступно, либо слишком опасно для человека. Речь идет не только о космосе, но и о подводном пространстве, пустынях, жерлах вулкана, зонах военных действий. Даже если люди попадают в такие места, они не могут долго работать там без отдыха. А роботам не нужны ни пища, ни вода, они способны функционировать за счет солнечных батарей или батарей длительного действия, а материалы, из которых они сконструированы, переносят любую жару и холод.

Вулканический робот «Данте»
Этот робот проникает в жерло вулкана даже во время извержения. «Данте» способен взять образец газа или другого вещества и отправить его ученым, которые находятся на безопасном расстоянии от раскаленной лавы. Эта модель робота исследует кратер вулкана Маунт-Спурр, расположенного в штате Аляска в США.

Исследования подводного мира
Субмарина «Ремора-2000» и робот Super Achilles ROV обычно действуют вместе. Они предназначены для того, чтобы исследовать морское дно в поисках затонувших кораблей и других объектов. В субмарине сидят 2 наблюдателя. А робот выполняет несколько функций, в частности фотографирует и собирает образцы.

Обезвреживание взрывных устройств
Робот с системой дистанционного управления проверяет коробку во время показательной демонстрации. Призванный предотвращать террористические атаки, угроза которых существует во всем мире, этот робот должен выполнять довольно много сложных операций. Большинство современных моделей могут открывать верхние багажные отделения в самолетах и автобусах, а также находить взрывные устройства в метро.

Домашние помощники

Многие эксперты считают, что в будущем роботы появятся в большинстве домов. Главное основание для такого предположения – стремление людей сделать свою жизнь проще и комфортнее. Им хочется, чтобы кто-то другой выполнял всю самую сложную, скучную, грязную работу, которую они ненавидят. А роботы для такой «службы» вполне подходят.

Посудомойки

Единицы моют посуду с удовольствием, в то время как роботы всегда готовы выполнять такую работу, ни на что не жалуясь. Пока человек не может полностью отказаться от мытья посуды, однако компания «Панасоник» и Токийский университет уже разработали робота-манипулятора, который способен ополоснуть тарелки в воде и разложить их в посудомоечной машине.

В первых рядах

Японская компания «Тойота» занимается не только производством автомобилей, но еще и разработками в сфере робототехники. Она планирует создавать роботов, которые будут помогать людям в повседневной жизни. В 2007 г. президент «Тойоты» Кацуаки Ватанабэ представил несколько изобретений компании.

Мобильный робот

Он может служить транспортным средством, следовать за своим хозяином, перевозить тяжелые предметы. Робот способен преодолевать до 20 км без подзарядки и развивать скорость до 6 км/ч.

Робот-скрипач

В будущем роботы-гуманоиды будут не только делать тяжелую работу по дому, но и в перерывах между выполнением основных обязанностей развлекать своих владельцев игрой на музыкальном инструменте.

«Робина»

Робот «Робина» работает экскурсоводом. Он умеет рассказывать о достопримечательностях, самостоятельно передвигаться, не натыкаясь на людей, и даже раздавать автографы.

Выгулять собаку

Робот, который гуляет с собакой, на первый взгляд может показаться забавной шуткой, однако у этого изобретения серьезный потенциал. Он мог бы быть полезен пожилым людям, которые хотят завести собаку, но из-за слабого здоровья не могут выходить с ней на улицу по расписанию. Этот робот также мог бы сопровождать людей почтенного возраста во время прогулок.

Вымышленные роботы

Фигуры, похожие на современных роботов, можно разглядеть в некоторых предметах древнегреческого искусства. Сегодня роботы – популярные герои книг, фильмов, телешоу и даже песен. Слово «робот» впервые было употреблено как раз в художественном произведении. Оно появилось в пьесе 1920 г. чешского писателя Карела Чапека. Термин происходит от чешского слова «*robota*», в переводе «тяжелая работа», «каторга».

Далеки

Персонажи британского телесериала «Доктор Кто», а затем и одноименного фильма представляют специально выведенную учеными расу машин-убийц. Далеки – мутанты, представители внеземной цивилизации, помещенные в специальные оболочки. Они выглядят и двигаются как роботы, однако способны испытывать ненависть, как живые существа.

Астробой

Астробой – это робот-гуманоид со сверхспособностями и летающими ботинками-ракетами, который борется с преступностью. Он впервые появился в начале 1950-х гг. как герой японских комиксов, а затем стал звездой мультсериалов и анимационных фильмов.

R2-D2

Этот робот – герой всех шести фильмов космической саги «Звездные войны». Его рост не превышает метра, он понимает человеческую речь, а общается с помощью писков, свистов и трелей. Этот робот прекрасно разбирается в самых сложных компьютерных системах, поэтому всегда может найти выход из опасной ситуации.

Терминатор

Терминаторы – боевые машины будущего, призванные убивать людей. Роботы-гуманоиды с искусственным интеллектом появляются в фильме «Терминатор». Одного из них – главного персонажа всех 4 картин – сыграл Арнольд Шварценеггер. Этого робота придумал Джеймс Кэмерон. По словам режиссера, Терминатор явился ему во сне.

Фильм «Роботы»

Все персонажи этой анимационной ленты – роботы. У каждого свой характер, эмоции, переживания, проблемы. Больше всего похожи на людей главные герои Родни Нержавейкин и Тормоз.

Бендер

Персонаж анимационного сериала «Футурама». В образе этого гуманоида, в частности в его поведении, отражено большинство человеческих пороков.

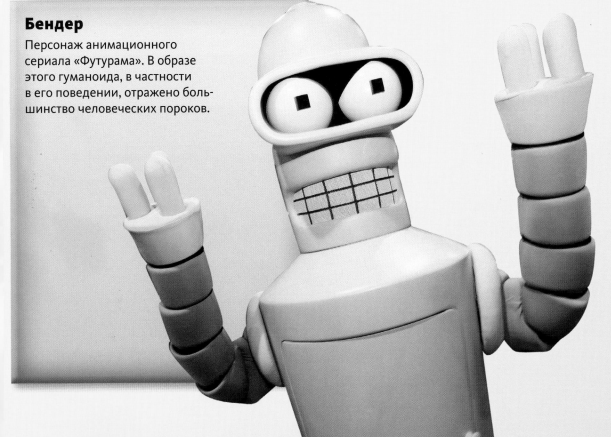

Искусственный интеллект

Искусственный интеллект – кратко ИИ – это область компьютерной науки и инженерии. Главная цель специалистов, которые работают в этой сфере, – создать программы, с помощью которых машины учатся и функционируют, используя интеллект. Такие механизмы не должны полностью зависеть от людей, которые поручают им выполнение конкретных заданий через компьютер. Машины с искусственным разумом должны сами думать и развиваться.

АСИМО

Это робот-гуманоид, который распознает и запоминает лица и особенности жестикуляции. Таким образом, он понимает, когда знакомый ему собеседник хочет, например, пожать руку в свойственной только этому человеку манере. АСИМО реагирует на все, что происходит вокруг него. Робот всегда поворачивается к тому, кто его приветствует, или в ту сторону, откуда исходит неожиданный, тревожный звук.

Распознавание лиц

Это один из примеров того, как на практике работает обучение с помощью искусственного интеллекта. Система распознавания лиц фиксирует несколько особенностей внешности конкретного человека и сопоставляет их с информацией, которую содержит база данных.

КОМПЬЮТЕР-ЧЕМПИОН

Шахматный суперкомпьютер Deep Blue запрограммирован для соревнований с сильнейшими шахматистами. Чемпион мира Гарри Каспаров проиграл Deep Blue серию из 6 партий. Компьютер одержал победу в трех из них, две уступил, а одна закончилась вничью.

20
25
30
35
40
45
50
55
60
65
70
75
80
85
90
95

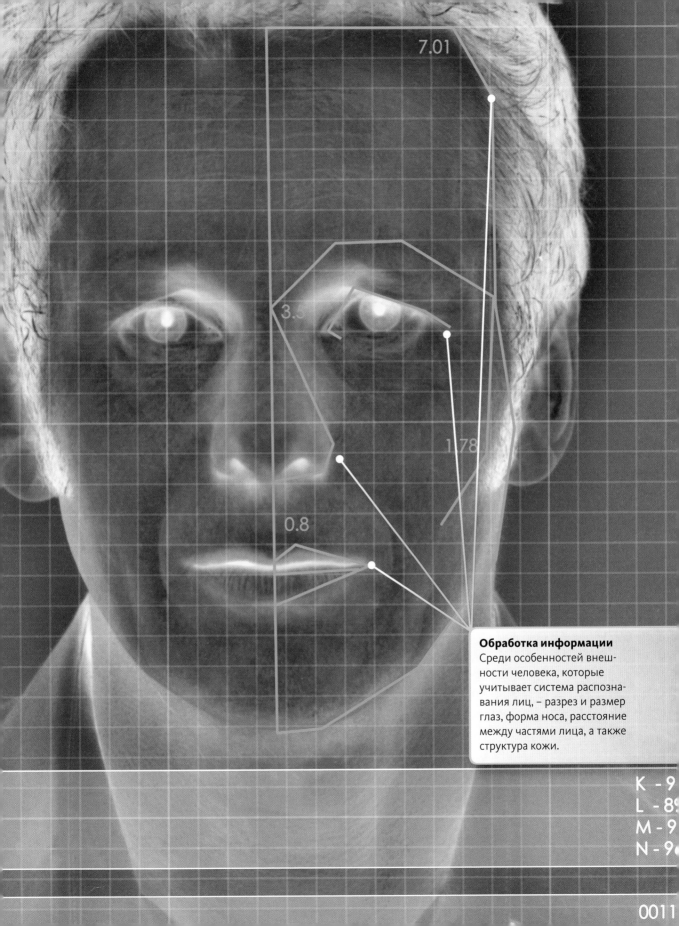

7.01

3.3

1.78

0.8

Обработка информации
Среди особенностей внеш-
ности человека, которые
учитывает система распознавания лиц, – разрез и размер
глаз, форма носа, расстояние
между частями лица, а также
структура кожи.

K - 9
L - 89
M - 9
N - 9

0011

Плюсы и минусы робототехники

Р оботы и технологии, которые помогают их создавать, серьезно изменили образ жизни многих людей. Возникает вопрос: чего от разработок в сфере робото-техники мы получим больше – хорошего или плохого? Тебе решать!

На передовой
Некоторые роботы могут находить, а затем обезвреживать бомбы и мины.

Преимущества роботов

Множество профессий, в которых могут быть задействованы роботы, требуют выполнения, очень тяжелой, опасной и неприятной работы. Некоторые роботы исследуют Землю и космиче-ское пространство, помогая обитателям нашей планеты узнать больше о том, что их окружает. А те, что созданы для того, чтобы выполнять хирургиче-ские операции, способны спасти человеку жизнь.

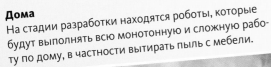

Дома
На стадии разработки находятся роботы, которые будут выполнять всю монотонную и сложную рабо-ту по дому, в частности вытирать пыль с мебели.

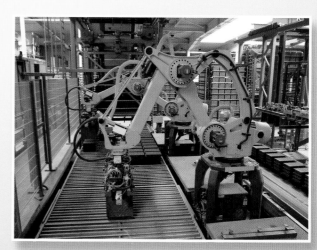

Роботы в производстве
Промышленный робот может переносить тяжелые пред-меты и выполнять действия с непревзойденной точно-стью, что не под силу человеку.

Минусы роботов

Научная фантастика полна историй о том, как злые обезумевшие роботы выходят из-под контроля людей и нападают на них. Но есть и другие причины бояться роботов. Одна из них – вероятность того, что роботы могут сделать людей невостребованными во многих профессиях.

Без работы

Роботы могут трудиться без отдыха и не жалуются на условия труда. Учитывая это, многие компании с удовольствием предпочли бы робота-сотрудника человеку. В будущем этот факт может привести к длинным очередям на биржу труда.

Бесконтрольность

Есть мнение, что со временем появятся настолько совершенные роботы, что они сами смогут думать и действовать. Если так и случится, можно ли будет предотвратить атаки этих машин на людей и захват роботами власти во всем мире?

История роботов

Р оботы ассоциируются у большинства людей исключительно с новыми технологиями, однако идее создавать машины, подобные людям, уже сотни лет. Существа, напоминающие современных роботов, можно найти даже в древнегреческой мифологии и литературе. Например, в поэме «Илиада» Гомер пишет о золотых девах-служанках, созданных покровителем кузнечного мастерства, богом огня Гефестом.

1495
Леонардо да Винчи создает проект механического рыцаря, чтобы показать, что машина может двигаться как человек. Это изобретение гения эпохи Возрождения считается первым в истории роботом.

1801
Жозеф Жаккар представляет в Париже ткацкий станок, который сам изготавливает полотно. Для управления узорами на тканях используется перфокарта – бумажный носитель данных, моделирующий работу механизма.

1890-е
Никола Тесла изобретает пульт дистанционного управления. Без этого устройства многих современных роботов невозможно было бы привести в движение.

1920
Впервые появляется слово «робот». Первым в своей пьесе «Россумские универсальные роботы» его употребляет чешский писатель Карел Чапек.

1941
Писатель-фантаст Айзек Азимов придумывает термин «робототехника», который употребляет в значении – процесс разработки и производства роботов.

1976
Космические зонды «Викинг-1» и «Викинг-2», оснащенные встроенными роботами-манипуляторами, берут на Марсе пробы грунта.

1997
Космический аппарат «Патфайндер» спускается на Марс. За месяц он делает более 16 000 снимков поверхности планеты и отправляет их на Землю.

2000
Японские компании «Хонда» и «Сони» выпускают роботов-гуманоидов, умеющих повторять движения людей.

2004
Марк Тилден, канадский физик и разработчик робототехники, создает игрушку «Робосапиен» – робота-гуманоида для массовой продажи.

Придумай своего робота

На создание робота уходят огромные деньги, но это не помешает тебе придумать дизайн одного из них.

Перед тем как приступать к проекту, тебе нужно ответить на несколько вопросов:

1 Для чего тебе нужен робот: для развлечения, выполнения сложной работы или для других целей?

2 Как робот будет перемещаться: на ногах, на колесах, по рельсам или благодаря гусеничным механизмам?

3 Откуда он будет получать энергию: от обычных или солнечных батарей, а может быть, от заводного механизма?

4 Какими приспособлениями он будет оснащен: сенсорами звука, света, камерами, датчиками давления?

После того как ты ответил на эти вопросы, можешь придумать дизайн своего робота и нарисовать его. Затем предложи друзьям сделать то же самое и сравни результаты.

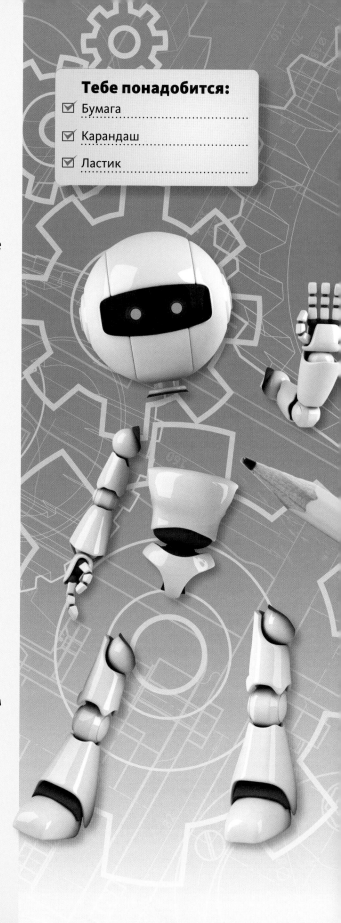

Тебе понадобится:
- ☑ Бумага
- ☑ Карандаш
- ☑ Ластик

Словарь

Джойстик
Устройство для ввода информации, представляющее собой движущуюся в двух плоскостях ручку.

Дистанционное управление
Управление техническими устройствами, в том числе роботами, на расстоянии.

Комиксы
Рисованные истории, рассказы в картинках.

Контроллер
Устройство управления роботом или другой электронной машиной.

Космический зонд
Автоматический космический аппарат, предназначенный для исследования объектов Солнечной системы и пространства между ними.

Марсоход
Космический аппарат, предназначенный для изучения планеты Марс.

НАСА
Национальное управление по воздухоплаванию и изучению космического пространства – государственная организация США.

Научная фантастика
Жанр в литературе, кино и других искусствах, основанный на фантастических допущениях в области науки.

Перфокарта
Носитель информации из тонкого картона с нанесенными в определенных местах отверстиями.

Робот-гуманоид
Робот, который внешне напоминает человека.

Робот-манипулятор
Робот, выполняющий функции человеческой руки.

Солнечная батарея
Устройство, которое преобразует солнечный свет в электричество.

Спектрометр
Оптический прибор для быстрого анализа различных веществ.

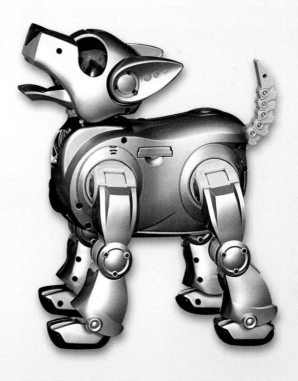

Указатель